D0494272

Do Evan agus Seòras le gaol – M.R.

Le tòrr gaol gu Barabail agus Daibhidh - N.E

A' chiad fhoillseachadh am Breatainn an 2013 le
Penguin Group: Lunnain, New Iorc, Astralia, Canada, India, Eirinn,
New Zealand agus Afraga a Deas
Penguin Books Ltd., Registered Offices: 80 Strand, Lunnain, WC2R 0RL Sassain
puffinbooks.com
Lunnainn - New Iorc - Toronto - Sydney - Auckland
Mexico City - New Delhi - Hong Kong

001

A' chiad fhoillseachadh sa Ghàidhlig an 2015 le Acair Earranta
An Tosgan, Rathad Shìophoirt, Steòrnabhagh, Eilean Leòdhais HS1 2SD
info@acairbooks.com www.acairbooks.com

A' Ghàidhlig Doileag NicLeòid

An dealbhachadh sa Ghàidhlig Mairead Anna NicLeòid

Tha Acair a' faighinn taic bho Bhòrd na Gàidhlig.

Fhuair Urras Leabhraichean na h-Alba taic airgid bho Bhòrd na Gàidhlig le
foillseachadh nan leabhraichean Gàidhlig *Bookbug*.

Gheibhear clàr catalog CIP airson an leabhair seo ann an Leabharlann Bhreatainn.

ISBN 978-0-86152-598-0

Clò-bhuailte ann an Sìona

Oidhche Mhath Tractar

Michelle Robinson

Na dealbhan le **Nick East**

Tha na rionnagan a-muigh.
Tha an t-àm ann dhol
dhan leabaidh. Mar sin can
"oidhche mhath" mo chadalan beag.

Oidhche mhath tuathanach.

Oidhche mhath crann.

Oidhche mhath trèilear.

Oidhche mhath bò.

Oidhche mhath cuilean,

agus oidhche mhath uain…

Oidhche mhath tractar,

thìde a dhol bà-bà.

Oidhche mhath co-bhuaineadair,

oidhche mhath làraidh.

Oidhche mhath asal.

Oidhche mhath tunnag.

Oidhche mhath muc,
agus oidhche mhath caora….

Oidhche mhath tractar,
thìde a dhol bà-bà.

Oidhche mhath cairt.
Oidhche mhath lòintean.

Oidhche mhath each agus oidhche
mhath cearcan cruinn ann an cròileagain.

Cuilean is asal, tunnag is bò.

Co-bhuaineadair, cairt, làraidh is crann.

Gnòst
agus
hì-hò
agus mù-mù
agus mè-mè.

Cuac-cuac
is
hì-hò,
agus gealach is reultan.

Oidhche mhath a h-uile duine,

a-nis cunnt thusa na caoraich…

Oidhche mhath tractar,
thìde a dhol bà-bà.